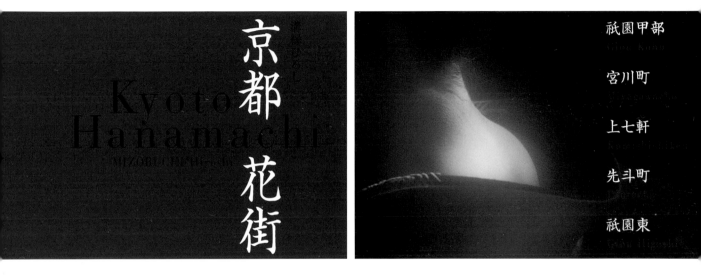

Kyoto Hanamachi

First Edition July 2002
by Mitsumura Suiko Shoin Publishing Co., Ltd.
Kitayama-dori Horikawa higashi-iru
Kita-ku, Kyoto 603-8115 Japan
Author: MIZOBUCHI Hiroshi
Translator: AD BRAIN INC.
Designer: INAMOTO Masatoshi & ONISHI Kazushige
Editor: OHNISHI Ritsuko , UEDA Keiichiro & GODA Yusaku
Publisher: NAGASAWA Kozo

ISBN4-8381-0303-4

目次

京都五花街

　現在、京都には祇園甲部、宮川町、上七軒、先斗町、祇園東、島原の6つの花街がある。その内島原をのぞく5つの花街を総称して五花街という。

　八坂神社門前の水茶屋に起源を持つ祇園（後に祇園甲部、祇園東に分かれる）、歌舞伎とのつながりの深い宮川町、北野天満宮門前の水茶屋に始まる上七軒、鴨川と高瀬川の間にあり、舟運の要所として栄えた先斗町、とそれぞれの歴史、文化を持ち、今日までその伝統を伝えている。

　京都五花街と聞いてまず思い浮かべるのは、だらりの帯をしめ、おこぼをはいた舞妓であろう。戦前は12歳位から舞妓になったが、現在は義務教育を終えてからでないと舞妓になることはできない。舞妓になる前、仕込み・見習いの期間（約1年間）に行儀作法や舞いなどを学び、舞妓としてデビュー（店出し）する。舞妓は芸妓になるための修行期間ともいえる。日々、舞などのお稽古に励み、平均して4～5年ほどで芸妓になる（衿替え）。

　芸妓とは常に芸を磨き、芸に生きる女性たちである。本来、舞妓が衿替えをして芸妓となるが、年齢的なことなどで最初から芸妓となる場合もある。なお、年齢に関わらず先輩の舞妓や芸妓のことは「おねえさん」と呼ぶ。

　舞妓は屋形（置屋）に住む。屋形の経営者は「おかあさん」と呼ばれ、舞妓たちはここで「おかあさん」と寝食をともにする。一方、芸妓や舞妓たちの仕事場にあたるお座敷があるのがお茶屋である。お茶屋の経営者も「おかあさん」と呼ばれる。「おかあさん」はお客さんの求めに応じて芸妓、舞妓を呼び、料理を手配する。

　伝統としきたりを重んじる花街では、一年を通して様々な行事が行われる。始業式や八朔、事始めなど季節の節目ごとに行われる行事には、「けじめ」や「感謝の心」が色濃く息づいている。また花街は祭との関わりも深い。八坂神社の氏子である祇園甲部、宮川町、先斗町、祇園東は祇園祭、北野天満宮の氏子である上七軒は梅花祭や瑞饋祭、五花街が交替で参加する時代祭などである。

　そしてなによりも華やかな行事が踊りや舞の舞台であろう。井上流の祇園甲部は「都をどり」と「温習会」、若柳流の宮川町は「京おどり」、花柳流の上七軒は「北野をどり」と「寿会」、尾上流の先斗町は「鴨川をどり」と「水明会」、藤間流の祇園東は「祇園をどり」。芸妓、舞妓たちが日頃の鍛錬の成果を見せる舞台は、内外から広く支持されている。

　千年の都、京都。様々な文化が息づく京の地で長く愛され続ける花街。歴史の舞台となり、絵画に描かれ、文学の題材となった花街は、京都文化のひとつの象徴である。

An Introduction to Kyoto's Hanamachi (Geiko/Maiko Districts)

Hanamachi (or kagai), literally translated as "flower town," is the term Kyoto people use for the districts where the geiko and maiko practice the high-class arts that have made their beauty and refinement legendary the world over. Though trained in all the classical Japanese arts (flower arrangement, tea, calligraphy, etc.), geiko and maiko are most admired, in the public sense, for their dance and musical abilities (using traditional instruments such as the koto harp, shamisen banjo, and the taiko drum).

There are six hanamachi in Kyoto: Gion Kobu, Miyagawacho, Kamishichiken, Pontocho, Gion Higashi, and Shimabara. The first five of these hanamachi (not including Shimabara) are known as Kyoto's gokagai (Five Flower Towns).

Each hanamachi has its own unique historical origins and characteristics. Most have origins that date back to the early Edo period (1603-1868), a long era of peace, flourishing culture and rising merchant prosperity. The Gion district originally developed from the mizuchaya (a special kind of tea house) in front of the gates leading to the precincts of ancient Yasaka Shrine. Gion later divided into two separate districts: Gion Kobu and Gion Higashi. Miyagawacho, strongly connected with the world of kabuki, is located directly south of Kyoto's illustrious kabuki theater, the Minamiza, close to the very place that kabuki is said to have first started. Kamishichiken developed from the mizuchaya in front of Kitano Tenmangu Shrine, an ancient shrine. The district is closely connected with the world-famous Nishijin textile area that surrounds it. The Pontocho district lies along a narrow lane between the Kamogawa and Takasegawa rivers, in an area that was the start of the extremely rich water transportation artery that linked Kyoto to Osaka.

Maiko, dressed up in darari obi (obi that hang down at the back) and okobo (high sandals), are a universal image of all hanamachi. Before World War II, a maiko's career and all the training it involves started around the age of twelve. Today, a maiko's education begins when she is about 16, after she has finished her compulsory education. In the year before officially becoming a maiko, she undergoes a period of training called shikomi or minarai when she studies classical Japanese manners, speech and other forms of etiquette. Then she begins her training to become a full-fledged geiko, usually over a 4 or 5 year period. Her debut as a geiko is called the erikae (literally changing of the collar).

Geiko are professional entertainers (dancers, singers, musicians) who constantly polish their skills through regular lessons with recognized teachers. Though most geiko are first maiko, some, because of their age, become geiko directly (provided, of course, that their teachers agree they are sufficiently skilled). Senior maiko and geiko are called oneesan (elder sister) regardless of their age.

Maiko generally lives in an establishment called a yakata or okiya, together with a woman called okaasan (mother). Geiko and maiko performances are staged in ozashiki (formal tatami mat rooms) at ochaya (literally, tea houses or tea rooms), which are also owned by women called okaasan. Upon the request of their clients, ochaya okaasan make reservations or appointments with the requested number of geiko and maiko. The okaasan also arranges to provide the elaborate food and drink for the guests that will attend the evening of entertainment in the ozashiki. An evening can be a short, intimate meal or a longer large, boisterous party.

The yearly calendar of the hanamachi is strongly interlinked with the historical and religious events of the town. Events and rituals range from those that mark the beginning of a season and ceremonies connected with ancient local shrine events, to expressing gratitude to the teachers of the arts practiced and honoring great heroes of the past.

The hanamachi events that receives the most attention from the public, and which require the most training, are the annual dance performances. These highly popular seasonal events are associated with each area and feature dances (accompanied to the music of the shamisen banjo, or taiko drum) choreographed by dance schools with a history as long as that of each hanamachi.

Kyoto 1200 years of history are exquisitely expressed by the refined movement and beauty of geiko and maiko. Whether dance, literature, history or the changing seasons, you will find all this and more in the mysterious, sublime worlds of Kyoto's living flower towns.

表彰状を受け取る。 （祇園甲部）

厳粛な雰囲気のなか、表彰が進む。 （上七軒）

始業式 1月7日・9日
祇園甲部・宮川町・上七軒・先斗町・祇園東

各花街で行われる始業式には、稲穂のかんざしに正装姿の芸妓、舞妓が集まる。1月7日、祇園甲部は女紅場学園、宮川町では東山女子学園、先斗町では鴨川学園、祇園東ではお茶屋組合の二階にてそれぞれに行われる。上七軒は1月9日で、歌舞練場にて行われる。各花街ともに前年の売り上げ成績のよいお茶屋、芸妓、舞妓を表彰し、新年にふさわしい舞が披露される。

Shigyoshiki January 7th or 9th

Gion Kobu, Miyagawacho, Kamishichiken, Pontocho and Gion Higashi

Every year on either of these two days, in each hanamachi, geiko and maiko attend this ceremony in full kimono, with a rice ear handmade hair ornament gracing their carefully coifed hair. During the ceremony the most successful ochaya and individual geiko and maiko of the previous year for each district is given an award of excellence. New Year dance performances are also staged. The event is held in large, traditional formal settings on January 7th in Gion Kobu, Miyagawacho, Pontocho, Gion Higashi, and on January 9th in Kamishichiken.

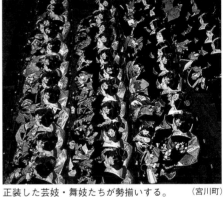

正装した芸妓・舞妓たちが勢揃いする。 （宮川町）

稲穂のかんざしをつけて。（先斗町）

9

祇園東では舞初めの演目はその年の「御題」によって選ばれる。　　（祇園東）　新年のあいさつまわり。　　　　　　　　　　　　　　　　　　（祇園甲部）

上七軒では素囃子も含めて毎年趣向を凝らした芸が披露される。　　　　　　　　　　　　　　　　　　　　　　　　　　　　　　　　　　　（上七軒）

雨の日は和傘と雨ゴートを着てお師匠さん宅へと向かう。

冬日を背中に受けつつ。

初寄り 1月13日
祇園甲部

祇園甲部では、芸妓、舞妓が舞の師匠である井上八千代師宅に集まり、新年のご挨拶をする。お屠蘇とお雑煮で新年を祝い、心も新たに今年一年お稽古に励みますと誓い合う日である。

Hatsuyori January 13th
Gion Kobu

This event is particular to Gion Kobu. On the day of Hatsuyori, geiko and maiko gather at the house of Yachiyo Inoue (the home of the head of the Inoue School of Japanese dance) and honor the arrival of the New Year by drinking otoso (sharing sake in a ceremonial manner), eating ozoni (rice cakes in a special soup), and pledging to work and train hard for the rest of the year.

八坂神社にて豆まき。　　　　　　　　　　　　（祇園東）

北野天満宮にて豆まき。　　　　　　　　　　　（上七軒）

節分 2月2日・3日・4日
祇園甲部・宮川町・上七軒・先斗町・祇園東

祇園甲部、宮川町、先斗町、祇園東は八坂神社で、上七軒は北野天満宮にて、それぞれに奉納舞と豆まきが行われる。夕方からは様々な装いに扮した芸妓、舞妓たちがお座敷をまわる。これを「お化け」といい、「越後獅子」など伝統的なものからその年に流行したものを取り入れるものまで、その変装ぶりは様々。笑いの絶えないにぎやかな夜となる。

Setsubun February 2nd, 3rd and 4th

Gion Kobu, Miyagawacho, Kamishichiken, Pontocho and Gion Higashi

In this annual event, traditionally held on the eve of the New Year according to the old Chinese lunar calendar, special devil dances are performed and dried soy beans are thrown outside and inside (while chanting "Out with Evil, in with Good.") at some shrines, as well as in general households in Japan. Gion Kobu, Miyagawacho, Kamishichiken and Pontocho hold this event at Yasaka Shrine, while Kamishichiken holds it at Kitano Tenmangu Shrine. In the evening, maiko and geiko, dressed up in costumes, visit the ochaya's ozashiki rooms. This is called obake (costume disguise). The night is full of laughter, drinking and general fun.

奉納舞　　　　　　　　　　　　　　　　　　（宮川町）

奉納舞　　　　　　　　　　　　　　　　　　（先斗町）

様々な仮装が楽しい「お化け」。　　　　　　（先斗町）

伝統的なものから現代的なものまでさまざまな仮装がある。　　（祇園甲部）

芸妓、舞妓たちによる野点茶会は地元の人や観光客に大人気である。

北野天満宮は京都随一の梅名所。

梅花祭 2月25日
上七軒

この日は北野天満宮の祭神、菅原道真の命日にあたる。道真が梅を愛でたという故事にちなみ、梅花を挿した「香立て」を供える。この日は上七軒の芸妓、舞妓たちによる野点茶会も行われ、梅の咲き誇る境内は華やかな雰囲気につつまれる。

Baikasai February 25th

Kamishichiken

This is the memorial day for Sugawara no Michizane, a famous scholar and politician of the 9th century, who is the deity enshrined at Kitano Tenmangu Shrine. Sugawara is said to have had a deep love for ume (plum) blossoms. The shrine has a huge plum orchard, as well as countless trees throughout its precincts. On this day, a large, colorful outdoor tea ceremony is hosted by geiko and maiko from the Kamishichiken district, and kodate (rice kernels and plum blossoms) are offered to the shrine deity.

「深き心」を舞う井上愛子（四世井上八千代）。

「深き心」を舞う現家元五世井上八千代師。

赤穂浪士ゆかりの品々。

大石忌 3月20日
祇園甲部

主君の仇討ちの計画などない、と人の目を欺くために大石内蔵助が祇園のお茶屋「一力」で豪遊する…寛延元年（1748）に上演された「仮名手本忠臣蔵」のあまりにも有名な一場面である。その後仇討ちを果たした内蔵助が切腹したのは、元禄16年（1703）旧暦の2月14日。現在の暦で3月20日にあたることから、この日一力亭では顧客を招いて、赤穂四十七士の遺徳を忍ぶ。井上八千代師が「深き心」を、芸妓、舞妓が「宿の栄え」を舞い、抹茶や蕎麦がふるまわれる。

Oishiki March 20th
Gion Kobu

Oishi Kuranosuke, the leader of the legendary 47 samurai, got drunk at the Ichiriki ochaya to make everyone think he was not planning to revenge his master's death. The extraordinary story of the 47 samurai is a true historical happening that has been turned into a famous play (Kanadehon Chushingura, first staged in 1748) and a number of films. After revenging his master's death, Oishi (and all his men) committed seppuku (ritual suicide) on February 14th (in the old lunar calendar, or March 20th in the new Gregorian or Western calendar). Every year the Ichiriki invites guests to honor Oishi and his 47 samurai. During the event, tea and soba noodles are served, Yachiyo Inoue (the current head of the Inoue School of Japanese dance) performs the Fukaki Kokoro (Deep Heart) dance, while geiko and maiko of the Gion Kobu district perform the dance called Yado no Sakae.

上七軒　歌舞練場の桜

都をどり

THE CHERRY-BLOSSOM DANCE ■4月1日~4月30日

日本の酒 月桂冠

都をどりの頃の花見小路界隈

フィナーレ（平成12年第128回公演より）

都をどり 4月1日〜30日
祇園甲部

「都をどりはヨーイヤサァー」のかけ声とともに都をどりの幕が開く。祇園甲部の芸妓、舞妓たちの舞の舞台。明治5年（1872）、京都博覧会の余興として開催されたことにはじまり、以来祇園甲部の舞は「井上流一本で」となった。第一回から約130年、途中戦争によって6年間休演するも、今日まで連綿と続く舞台は、伝統と格式を誇り、京都の春の風物詩となっている。

Miyako Odori April 1st - 30th
Gion Kobu
The Miyako Odori dance is performed in the Inoue School style by the geiko and maiko of Gion Kobu. This exquisite traditional dance was first performed in 1872 as part of the Kyoto International Exposition, and has been held every year since (except during the War). It is one of Kyoto's best loved and best known events.

「渉成園枳穀積雪」（平成10年第126回公演より）

「色添初夏飛雲閣」（平成10年第126回公演より）

お茶席（平成11年）

「都をどりはヨーイヤサァー」のかけ声とともに
幕が開く（平成13年第129回公演より）。

祇園甲部の舞妓さん（2002年4月現在）

君佳
Kimika

孝蝶
Takachō

真ゐみ
Manami

小菊
Kogiku

市祐美
Ichiyumi

市寿恵
Ichisue

満友葉
Mayuha

照ひな
Teruhina

まめ鈴
Mamesuzu

真理
Mari

照恵
Terue

小愛
Koai

鈴子
Suzuko

美帆子
Mihoko

豆美
Mameyoshi

照ゝ満
Terukoma

豆千花
Mamechika

真生
Mao

寿々葉
Suzuha

舞妓のさしている華やかなかんざしのことを花かんざしという。月毎にかわる季節らしいかんざしに加えて、祭の時などは特別なかんざしをつけたりもする。1月はおめでたい松や梅、鶴や駒などが配されたもの。また正月には稲穂に白いハトのついたかんざしも付ける。2月は梅、3月は菜の花、4月は桜、5月は藤もしくは菖蒲、6月は柳と撫子、もしくは紫陽花、7月は団扇（ただし10日～28日までは祇園祭用のもの）、8月は薄もしくは朝顔、9月は桔梗、10月は菊、11月はもみじ、12月はまねきともち花である。12月のまねきは南座の顔見世のまねき（役者名の看板）のミニチュアで、顔見世総見の折、お気に入りの役者にサインをいれてもらう。

舞妓さんの花かんざし

正月（稲穂）

1月（寒菊に松、鶴）

2月（梅）

3月（菜の花）

4月（桜）

5月（藤）

6月（柳と撫子）

7月（団扇）

8月（薄）

9月（桔梗）

10月（菊）

11月（もみじ）

12月（まねき）

花かんざしをつくる／「金竹堂」定永光夫さん

「金竹堂」は江戸時代から続く花かんざしの老舗。一点一点手作りの花かんざしは、まさに芸術品である。
以前は花街のかんざし専門だったが、現在は一般のかんざしやくしなども扱っている。
五代目の当主、定永光夫さんにお話をうかがった

創業年は定かでないのですが、江戸時代末期には芸妓さん、舞妓さん専門のかんざしを手広く手がけていたようです。一般の方のかんざしも扱うようになったのは戦後位からです。花かんざしの作り方は母に教わりました。父は勤めにでていて、かんざしはもっぱら母が作っていたのです。

花かんざしはすべて手作りですから手間がかかります。例えば花びらですと、羽二重（白い薄絹）を染め屋さんに染めてもらうところからはじめます。もちろん熟練の染め屋さんに染めてもらうのですが、羽二重はとても薄い布ですから、ちょっとしたことで色が微妙に変わってしまうので、とても気をつかうところです。染め上がった布は20〜30枚ほど重ねて包丁で裁断します。こうして下準備ができると、いよいよ小花を作ります。

羽二重を2センチ角に切ったものを三角に二度折り、丸味をもたせたものが花びらとなります。花びらを糊付けし絹糸でくくって小花を作るのですが、糊が乾くと少し縮みますので、できあがりを予想しながら素早く作らなければいけません。1日100〜150個ほど作ります。こうしてできあがった小花やその他のものを組みあわせて花かんざしを作ります。大きいものですとひとつの花かんざしに50ほどの小花を使います。

舞妓さんの花かんざしを買いにくるのは屋形（置屋）のおかあさんが多いです。あとおねえさんの芸妓さんや、時々ご贔屓のお客さんがプレゼントに、ということもあります。デザインなどは伝統的なものですから基本的には決まっていますが、「少し赤い花を多めに」と色の好みなどをいわれるとそのようにします。値段は舞妓さんのつけるものでひとつ1万5000円位。お客さんに花かんざしをお渡しして喜んでいただけたときは本当に嬉しいですね。

近頃は舞妓さんの数も減り、寂しい感じもするのですが、若い方でもこの仕事に興味を持っていただける方は多いですし、何十年後も何百年後も今作っているものが続いてほしい、というのが私の夢でしょうか。

（談）

フィナーレ

京おどり 4月第一日曜〜第三日曜
宮川町

宮川町の芸妓、舞妓たちの舞の舞台で、昭和25年（1950）にはじまった。
若柳流の家元の作舞、振り付けによる舞台は、毎年趣向をこらした楽しい
もの。フィナーレは「宮川音頭」で芸妓、舞妓の総踊りで、華やかさもク
ライマックスとなる。「町も野山も花ざかり／京の都に春が来た／花の都に
春が来た／花は宮川　花は宮川／ヨーイ　ヨイ　ヨイ京おどり……」

Kyo Odori 1st Sunday - 3rd Sunday in April
Miyagawacho
This dance performance by the geiko and maiko of
Miyagawacho started in 1950.　It is choreographed to the
style of the Wakayagi School.　The gorgeous finale, the
Miyagawa Ondo, features all the geiko and maiko on stage
together.

「大田ノ沢の杜若」

「小鍛冶宗近」

「錦繍の紅葉」

お茶席

（写真はすべて平成13年第52回公演より）

25

宮川町の舞妓さん （2002年1月現在）

叶千沙
Kanachisa

千代恵
Chiyoe

とし美
Toshimi

美代乃
Miyono

富美毬
Fumimari

里ゆき
Satoyuki

春美
Harumi

美代壽々
Miyosuzu

千賀静
Chikashizu

里ひ奈
Satohina

ふく花
Fukuhana

ふく彩
Fukuaya

叶ゆり
Kanayuri

君帆
Kimiho

小桃
Komomo

冨久友
Fukutomo

小雛
Kohina

富美倖
Fumikō

菊乃
Kikuno

千賀芙美
Chikafumi

光春
Mitsuharu

とし花
Toshihana

君ぎく
Kimigiku

小扇
Kosen

ふく涼
Fukuryō

ふく奈美
Fukunami

ふく梅
Fukuume

ふく光
Fukuteru

舞妓さんの髪型ができるまで

舞妓さんの髪は地毛で結う。髪結いさんに行くのは平均して一週間に一度位。従って寝るときも髪を結ったままなので、舞妓さんは「おまく」という高さが15cm位もある小さな木の枕で寝ることとなる。髪を結うのにかかる時間はだいたい40分位。胸元あたりまである髪を、右上の写真にあるつけ毛や毛タボなどを用いて形作っていく。写真は舞妓時代の柚衣子さん（祇園甲部）が「奴島田」を結ってもらう様子。 （カチユ美容室にて）

髪結いに使うつけ毛など。

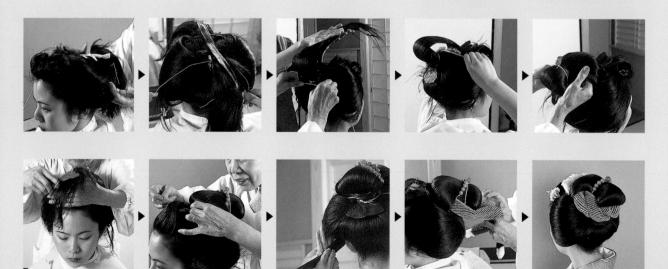

奴島田の完成。

28

髪を結う／「カチヱ美容室」　西村かち栄さん

西村かち栄さんが祇園に「カチヱ美容室」を開業したのは昭和24年（1949）11月のこと。
開業以来のお得意さんから店出しして間もない舞妓さんまで、
次々にお客さんがやってくる店内は、にぎやかな雰囲気につつまれている。

母が上七軒で美容師をしていましたので、小さい時から知らず知らずのうちに髪型や櫛の名称などを覚えていました。尋常高等小学校を卒業し、美容師になるために、祇園で開業している母の知人に弟子入りしました。ちょうど都をどりの季節で、舞台を見せてもらってその華やかさに驚いたのを覚えています。

修行は厳しかったですよ。母に「一人前になるまでは帰ってきたらあかん」といわれていましたし、毎日一生懸命でした。はじめて人前で日本髪を結ったのは18歳か19歳の頃です。当時あった京都の民生会館というところで髪結いの発表会があり、そこで日本髪を結ったのです。それがきっかけとなって、お師匠さんが忙しいときにはかわりに結わせていただいたりするようになりました。そうやって仕事をしながら美容学校に行き、24歳の時、資格をとりました。その頃は第二次世界大戦の最中で、戦後、祇園の復興とともに現在のお店を持ったのです。

舞妓さんの髪型は「割れしのぶ」、「おふく」、「奴島田」、「勝山」、「先笄」と基本的な形は昔から変わりません。でも時代とともに、微妙に結い上げる形は変わってきています。舞妓さん個人の好みもありますし……。結うときにいつも心がけることはお客様がより美しくみえる髪型を、ということです。ひとりひとり頭の形も違いますから、いちばんいい位置に結いあがるように気をつけます。思い通りに結えて、お客様にもほめてもらえる時がいちばんうれしいですね。こればかりは今日上手に結えたから、明日も上手に結えるというものではないので、毎日がお稽古だと思っています。舞妓さんや芸妓さんが毎日お稽古に励んでいらっしゃるのと同じですね。

考えてみると、様々な人との出会いが今につながっています。応援してくださるお客様のお陰で、今のお店を持つことができましたし、またこの仕事を通じて、外国にも行くことができ、有名な方とお話をすることもありました。最近でも「雑誌でみました」といって東京や広島など京都以外のところからお客様がみえることもあり、こうして知り合えた多くの方々に感謝しています。　　　　　　　　　　　　　　　　　（談）

舞妓さんの髪型

●割れしのぶ（正装用）

店出しの三日間結う髪型。びら（銀の挿し物）を左右に挿す。

●割れしのぶ

舞妓の初期の髪型。店出ししてから二年ぐらいまで結う。

●おふく

三年目位から結う髪型。割れしのぶでは前後に見えていた赤い鹿の子が後ろだけ見えるようになる。かんざしも少し地味なものになる。

●奴島田（やっこしまだ）

普段「おふく」の舞妓が正月や八朔など正装の黒紋付を着る時に結う髪型。

●勝山（かつやま）

普段「おふく」の舞妓が祇園祭の頃結う髪型。「ぼん天」と呼ばれるなでしこの花をあしらった銀色のかんざしをつける。

●先笄（さっこう）

衿替えの前二週間位結う髪型。結い上げた髪の「橋の毛」と呼ばれる部分の先を切るのが特徴。

舞妓さんの 小物

籠

ぽっちり（帯留）

扇子

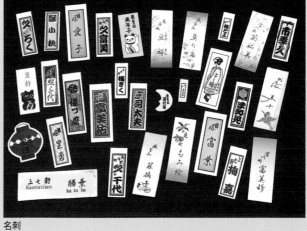
名刺

フィナーレ

北野をどり 4月15日～25日
上七軒

上七軒の芸妓、舞妓たちの舞の舞台。昭和27年（1952）、北野天満宮の千五十年大万燈会の際に、芸を奉納したことにはじまる。演劇的な要素を多分に持ついわゆる舞踊劇を特徴としてきたが、近年は舞踊劇以外の新たな試みも見られ、ますます目が離せない。舞の流派は花柳流。織物で知られる西陣に近いことから、衣装も観客の注目の的である。

Kitano Odori April 15th - 25th
Kamishichiken

This dance tradition started in 1952 in Kamishichiken as a dedication for the 1050th anniversary of Kitano Tenmangu Shrine. Performed in the Hanayagi style, these dances tell stories with classical themes and well as presenting new emerging forms of dance and music. Since this district is closely related with the central Nishijin weaving district, much attention is focused on the splendid kimono and stunning obi (sashes) of the performers.

「旅情ところどころ」より〈安宅の関〉

「紀州旅情」より〈道成寺〉

「旅情ところどころ」より〈十二月〉

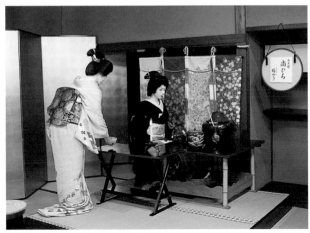

お茶席

（写真はすべて平成13年第49回公演より）

地方

拍子木を打つ。

上七軒の舞妓さん（2002年4月現在）

梅わか
Umewaka

尚はゑ
Naohana

梅そ乃
Umesono

梅まつ
Umematsu

梅登茂
Umetomo

梅智賀
Umechika

奉納舞　　　　　　　　　　　　　　　（祇園東）

例大祭の日、おみくじをひく舞妓。　　　　　（先斗町）

平安神宮例大祭奉納舞踊 4月16日
祇園甲部・宮川町・先斗町・祇園東

4月15日は平安神宮の春の例大祭で、勅使を迎えて祭典が営まれ、神楽が奉納される。翌16日には、大極殿前の仮設舞台にて奉納行事が行われ、花街の奉納舞や、平安雅楽会の神楽、舞楽などが続く。

Heian Jingu Reitaisai Hono Buyo April 16th
Gion Kobu, Miyagawacho, Pontocho and Gion Higashi

On April 15th, ceremonial events are held and traditional music is dedicated to the arrival of spring at Heian Shrine. The next day, along with other ceremonial events, dances by four of Kyoto's five hanamachi districts are prominently performed on a stage in front of the shrine's vermilion Daigokuden central hall.

フィナーレ

鴨川をどり 5月1日〜24日

先斗町

初演は明治5年（1872）。昭和26年（1951）から平成10年（1998）までは年に2回、春と秋の興行があった。上演回数は160回を超え、五花街の舞台のなかではもっとも多い。戦前は J. コクトー、C. チャップリンなども観劇している。尾上菊之丞監修による舞台は、台詞の入ったいわゆる舞踊劇を特徴としている。

Kamogawa Odori May 1st - 24th

Pontocho

The first performance of this dance tradition was staged in the Pontocho district in 1872. It is said that Jean Cocteau and Charlie Chaplin in the prewar years were immensely impressed by this highly theatrical dance performance. The dance is directed by the head of the Onoe Kikunojo School.

「陰陽師晴明」

「京都十二月」より〈嵯峨野の秋は〉

地方

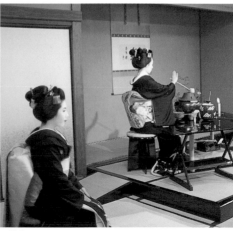

お茶席

（写真はすべて平成13年第164回公演より）

先斗町の舞妓さん（2002年1月現在）

豆侑 （2002年2月衿替え）
Mameyū

豆らく （2002年2月衿替え）
Mameraku

市羽
Ichiha

志奈英
Shinahide

朋佳
Tomoka

久万里
Hisamari

豆予
Mameyo

舞妓のデビューのこと。舞妓としてデビューする前には「仕込み」といわれる期間があり、舞や言葉遣い、行儀作法などを勉強する。その後、「見習い」としてお座敷に出る。「見習い」の時は、だらりの帯が短く、これを「半だら」という。一ヵ月ほどの「見習い」を終えると、いよいよ舞妓として店出しを迎える。店出し当日は姉芸妓に引いてもらって花街内を挨拶に廻る。舞妓の名前はこの姉芸妓の名から一字もらうのが慣例で、この姉妹の絆はとても強い。

店出し

Misedashi

The all-important misedashi is the debut performance, when the maiko to be, in effect, graduates and becomes a true maiko. Before this event, the girl in training wears her obi sash in such a way that it hangs down a little at the back. However, from her misedashi performance onwards, until she becomes a geiko, the maiko wears her obi sash hanging down nearly all the way at the back. After the ritual, she is led by an oneesan (a geiko of the same establishment that she belongs to, who is many ways like an older sister) through the neighborhood to greet people. The new maiko also takes a new name. Usually, one Chinese character of her new name is taken from her "older sister's" name.

上七軒での店出し風景。この時は三人同時に店出しで、華やかさもひとしお。
梅嘉さんねえさんに引かれて、左から梅そ乃さん、梅まつさん、梅登茂さん。

屋形（置屋）のおかあさんにごあいさつ（先斗町の志奈英さん）。

男衆さんとともに（祇園甲部の照ひなさん）。

慣れないうちは色々と教えてもらいながら（宮川町のふく梅さん、ふく奈美さん）。

小扇さんの店出し

2001年9月4日、宮川町の小扇さんが店出しの日を迎えた。仕込み、見習い
を経て、ようやく迎えた晴れの日。挨拶まわりに出るまでを追ってみた。

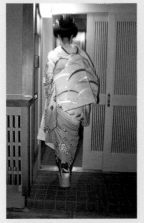

見習いの頃の「半だら」。

店出しの朝、まず髪結いさんのところで「割れしのぶ」に
髪を結ってもらった。

袖を通されるのを待つ黒紋付きの正装用着物。
長さ5m以上もあるだらりの帯をしめると相当
な重量となる。

お化粧

店出しの日はお化粧をしてもらうが、それ以降は自分ですることになる。まず、手のひらで鬢付け油を溶かし、下地として塗り、水で溶いたおしろいを刷毛で塗る。おしろいは鼻筋をのぞいて少しピンクを混ぜる。襟足は通常二本だが、店出しやお祭りの日など特別な時は三本足に塗る。眉は紅をまず挿し、その上に墨を、また目尻にも紅を挿す。口紅は舞妓になってから一年間は下唇だけである。花街によって化粧の仕方は若干違うし、また同じ花街でもキャリアとともに少しずつ変わってくる。

お化粧も終わり、緊張感も高まってくる。

着付け

だらりの帯は、しめるのに大変力がいるので、男の人の手によって着付けが行われる。着付けの時間は15分程である。長襦袢の上に縫い襟をつけ着物を羽織る。その上に帯を支える「おまく」をつけて帯を締める。黒紋付きの場合、舞妓はぽっちり（帯留）も帯締めもつけない。着物は6〜9月は単衣で、7月、8月は紗や絽のもの。10〜翌5月までは袷の着物で、12月〜3月にかけては二枚袷となる。この他肌着や襦袢、衿なども季節に応じたものとなる。

髪に銀色の「びら」を両方に挿し、店出しの舞妓姿の完成である。

お祝いのお膳を前に屋形（置屋）のおかあさんにご挨拶。

屋形（置屋）のおかあさんと盃を交わす。

切火（火打石で火を打つこと）をしてもらって挨拶まわりへ。

舞妓「小扇さん」の誕生である。

目録を書く／「辻倉」辻倉武史さん

舞妓さんの店出し、芸妓さんの衿替えの時に、同じ花街の人たちや、ご贔屓筋などから送られる「目録」。
「辻倉」は和傘の店だが、先代の時代から目録を書いてきた。
辻倉武史さんはその目録を書き始めてもう40年以上になる。
現在花街の目録を書いているのは辻倉さんだけである。

店出しや衿替えの半月ほど前に、おねえさんなど同じ花街の人たちやご贔屓筋から注文が来ます。絵柄の指定などはありませんから、こちらでめでたい図柄を選んで描くわけです。絵の種類は15種類ほどあります。

まずは型紙を使って外枠を描きます。型紙は角の丸い部分と直線部分に分かれていて、それを使い、続いて右上に熨斗も型紙を用いて摺りこみます。次に鯛、恵比寿さん、鶴などめでたいものを墨で描いて、それにポスターカラーで彩色をします。次に文字です。まず「一日柄」と中央上部に、そして「大人気」を右上に、続いて「日々に輝く」「日々に昇る」「日々に賑ふ」といっためでたい言葉。そして「沢山」と書きます。そしてこの目録を送られる本人のお名前を左に、送る人のお名前を右下に書き、最後に本人のお名前の下に赤で「さん江」と書いてできあがりです。

これは紙を2枚ついだ大きなものですが、これ以外に、紙一枚で作る文字だけの目録もあります。昔は紙を4枚ついで、舞妓さんや芸妓さんを描いたりもしたのですが、現在は作っていません。

目録は父の代には叔父が書いていました。私は勤めにでていましたし、自分が跡をついで書くようになると思ってもいなかったので、書き方を習う、といったことはなかったです。特に絵や字が得意、ということもないですよ。家でよく見てはいましたので、見よう見まねで書きはじめて今にいたっています。店出し、衿替えといえば、舞妓さん、芸妓さんにとって本当に大事な節目。そんな「晴れ」の日を祝う気持ちを込めつつ、これからもがんばって書いていこうと思います。

（談）

写真は宮川町の店出しの日。目録が外壁にも貼られている。目録にはおめでたい図柄が鮮やかな色で描かれ、室内、玄関、外壁などに貼りめぐらされて、店出しに華をそえる。

雨上がりの宮川町

先斗町夜景

井上愛子（四世井上八千代）と現家元五世井上八千代師（前列中央）とともに記念撮影。

みやび会 7月初旬
祇園甲部

井上八千代師とともに芸妓、舞妓が八坂神社に詣で、芸の上達と健康、みやび会の発展を祈願する。毎年新調する揃いの浴衣姿は夏らしい風情を醸し出す。

Miyabikai Early July
Gion Kobu

On this day, at the start of summer, led by Yachiyo Inoue (the head of the Inoue School of dance), geiko and maiko of Gion Kobu, wearing matching, newly designed yukata (summer kimono), pray for performance ability, health and prosperity at Yasaka Shrine.

揃いの浴衣で参詣する。

長刀鉾のお稚児さん。

山鉾巡行を観る宮川町の舞妓たち。

祇園祭 7月1日〜29日

祇園甲部・宮川町・先斗町・祇園東

祇園祭は東京の神田祭、大阪の天神祭と並ぶ、日本三大祭のひとつ。八坂神社のお祭りで、平安初期に疫病の退散を祈願して鉾をたてたことに始まるとされる。クライマックスは「コンチキチン」の祇園囃子を奏でながらの山鉾巡行だが、その前後約1ヵ月にわたって様々な行事が行われる。祇園甲部、宮川町、先斗町、祇園東の各花街は花笠巡行や奉納舞などに参加する。

Gion Matsuri July 1st - 29th

Gion Kobu, Miyagawacho, Pontocho and Gion Higashi

Ranked as one of Japan's top three festivals (along with the Kanda Matsuri in Tokyo, and the Tenjin Matsuri in Osaka), the Gion Matsuri is one of the festivals of Yasaka Shrine. The festival dates back to the 9th century when a series of plagues were raging throughout the country. The deity of this shrine is said to protect the health of Kyoto and, indeed, Japan. The climax of the festival is a procession of richly decorated multi-storied, wooden floats, often decorated with precious textiles that came to Kyoto along the Silk Road from Europe and China. Geiko and maiko of the Gion Kobu, Miyagawacho, Pontocho and Gion Higashi districts are very busy participating in several events during the month-long festival.

花傘巡行 7月24日

祇園祭の行事のひとつ。かつて山鉾巡行が17日の先祭と24日の後祭に分かれていたのが、17日に統一されたため、後祭のかわりに始められた。花傘は山鉾の初期の形をかたどっており、寺町御池から四条通りに出て、八坂神社まで巡行する。

（祇園甲部）

（先斗町）

（祇園東）

（宮川町）

奉納舞 7月24日

花傘が八坂神社に到着後、各花街の芸妓、舞妓による舞や鷺舞など様々な芸能が奉納される。

雀踊り　　　　　　　　　　　　　　　　　　（祇園甲部）

歌舞伎踊り　　　　　　　　　　　　　　　　（先斗町）

小町踊り　　　　　　　　　　　　　　　　　（祇園東）

コンチキ踊り　　　　　　　　　　　　　　　（宮川町）

宵宮の7月16日、舞を奉納する。 　　　　　　　　（祇園甲部）

7月17日、山鉾巡行の後行われる神幸祭。中御座、東御座、西御座の三基の神輿と、子供神輿の東若御座が氏子地区を巡行し、御旅所に渡御する。

7月24日、還幸祭。神幸祭で御旅所に渡御した三基の神輿が氏子地域を巡行して八坂神社に還幸する。

日頃の感謝をこめて「おめでとうさんどす」と挨拶する。 （祇園甲部）

正装姿の芸妓、舞妓に真夏の太陽が照りつける。 （祇園甲部）

八朔 8月1日
祇園甲部・宮川町・上七軒・先斗町・祇園東

八朔とは8月1日の意。日頃お世話になっているお師匠さんやお茶屋さんなどをまわり、感謝をこめて「おめでとうさんどす」と挨拶をする。祇園甲部では黒の絽の紋付きで正装する。本来は旧暦の8月1日に行われた初秋の行事であったが、新暦となった今では厳しい暑さのなかの行事となっている。

Hassaku August 1st

Gion Kobu, Miyagawacho, Kamishichiken, Pontocho and Gion Higashi
On this day geiko and maiko pay their respects to their teachers and the various ochaya they are indebted to. Gratitude is expressed in the Kyoto dialect with: "omedeto-san dosu." In Gion Kobu, geiko and maiko dress up in distinctive formal black kimono marked with their "family" crest.

日傘をさして。 （宮川町）

お姉さんに連れられて。 （先斗町）

神輿が通るのを待つ舞妓。

上七軒を通る神輿の行列。

瑞饋祭 10月1日～4日
上七軒

北野天満宮の秋の大祭。五穀豊穣を感謝して行われる。4日、御旅所から北野天満宮へ向かう瑞饋神輿の行列が上七軒の街を通る。氏子である芸妓、舞妓たちはお茶屋の玄関先に出てきて行列を見送る。お茶屋には祭の暖簾や提灯がかかり、お祭ムードを盛り上げる。

Zuiki Matsuri October 1st - 4th
Kamishichiken

This autumn harvest festival at Kitano Tenmangu Shrine features a parade of Zuiki Mikoshi (floats) on the 4th that pass directly through the Kamishichiken district, where geiko and maiko, immaculately dressed, stand in front of the establishments they are associated with. The front of each establishment is specially decorated with noren curtains, and paper chochin lanterns.

「雁金」

「花の段」

「俄獅子」

「素囃子」

温習会 10月1日〜6日
祇園甲部
祇園甲部、秋の舞の発表会。

Onshukai October 1st - 6th
Gion Kobu
The annual autumn Gion Kobu dance performance.

（写真はすべて平成12年公演より）

「夕立」

「あたま山」

「菊」

「二人椀久」

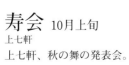

寿会 10月上旬
上七軒
上七軒、秋の舞の発表会。

Kotobukikai Early October
Kamishichiken
The annual autumn Kamishichiken dance performance.

（写真はすべて平成13年第53回公演より）

「山姥」

「八島」

「あやめ」

「紀州道成寺」

水明会 10月（不定期）
先斗町
先斗町、秋の舞の発表会。

Suimeikai October
Pontocho
The annual autumn Pontocho dance performance.

（写真はすべて平成13年第89回公演より）

一力亭にて。

夜の祇園新橋付近。

お座敷

お茶屋のお座敷はいわゆる宴会場である。お料理は、お茶屋で作られているのではなく、料亭からの仕出しとなる。もちろん外で食事をしてからお料理なしでお茶屋さんへ…ということもある。つきあいの長いお茶屋になると、お座敷だけでなく、宿泊や観光の手配、お土産にいたるまで、京都での滞在を演出してくれる。お客さん一人ひとりに対するきめ細かいサービスをする故、基本的に「一見さんお断り」である。初めての人がお茶屋遊びをしたい場合は
①花街になじみの知人に連れていってもらう
②格式のある旅館やホテルに泊まり紹介してもらう
③おおきに財団の会員となる（p.106参照）
といった方法がある。
お座敷では芸妓、舞妓さんのお酌で杯を重ね、舞いを披露してもらう。その他お座敷の楽しみ方は色々だが、そのひとつにお座敷遊びというものがある。野球拳（ジャンケンをしてお客さんが負けると着ているものを一枚ずつ脱ぎ、芸舞妓が負けると盃を飲み干すゲーム）、おまわりヨイヤサ（おまわりヨイヤサーのかけ声とともにジャンケンをして勝った方が太鼓をたたき、負けた方がぐるっとまわるというもの）などで盛り上がり、楽しく夜が更けていく。

静御前　　　　　　　　　　　　　　　　　　（先斗町）

出雲阿国　　　　　　　　　　　　　　　　　（祇園東）

時代祭 10月22日

祇園甲部・宮川町・上七軒・先斗町・祇園東

葵祭・祇園祭とともに京都三大祭のひとつ。明治28年（1895）平安遷都1100年記念に平安神宮が創建された際、始められた祭で、京都御苑から平安神宮まで練り歩く時代行列で知られる。各花街は交替でこの行列に参加し、芸妓、舞妓たちが小野小町や清少納言、巴御前などに扮する。

Jidai Matsuri October 22nd

Gion Kobu, Miyagawacho, Kamishichiken, Pontocho and Gion Higashi

One of Kyoto's three big festivals (along with the May Aoi Matsuri, and July Gion Matsuri), the Jidai Matsuri (Historical Era Festival) was first staged in 1895 to commemorate the establishment of Heian Shrine and Kyoto's 1,100th anniversary. The festival procession, featuring authentic costumes from all of Kyoto's historical periods, proceeds from the Kyoto Imperial Palace to Heian Shrine. Every year geiko and maiko from a different hanamachi dress up in the costumes of famous historical women: Murasaki Shikibu, Sei Shonagon, Ono no Komachi, Tomoe Gozen, etc.

中村内蔵助の妻　　　　　　　　　　　　（祇園東）

淀君　　　　　　　　　　　　　　　　　（上七軒）

巴御前　　　　　　　　　　　　　　　　（祇園甲部）

出番を待つ。　　　　　　　　　　　　　（宮川町）

63

舞台に立つまで

華やかな舞台に立つまでには毎日の練習の積み重ねがある。
「祇園をどり」の舞台を間近にひかえた祇園東のお稽古風景を見せてもらった。

総踊りは華やかさもひとしお。

一人ひとりの動きをじっと見るお師匠さん。

稽古の合間にもお師匠さんに教えを請う舞妓たち。

祇園をどりの稽古風景

祇園をどりの約半月前、いよいよ稽古も大詰めとなってきた。日頃の練習の成果を発表する大舞台を前に、張りつめた空気がただよう。フィナーレの祇園東小唄は、舞台ならではの総踊り。一斉にザッと舞扇を広げる音が稽古場に響く。袖から舞台の正面へと大きく人が動くときにスムーズに動けるよう、細かな所まで打ち合わせしながら、何度も練習を繰り返す。お稽古が一段落すると「ねえさん、おおきに」と先輩への挨拶が飛び交う。舞妓からベテランの芸妓まで力を合わせて舞台を作り上げていくのである。

磨きぬかれた稽古場の床。

祇園をどりの「大ざらえ」

祇園をどりが行われる祇園会館は、もともと祇園東の歌舞練場であったが、現在、普段は映画館として使用されている。そのため、舞台でお稽古ができるのは前日の一日しかない。舞台は稽古場と広さ、奥行きも違うので、立つ位置など実際に舞台に立ってはじめて分かることもたくさんある。客席では姉芸妓の舞台稽古をビデオに収める舞妓の姿も見られる。地方さんとも打ち合わせながら最終の仕上げをし、翌日の初日を迎える。

何度もおさらいする舞妓たち。

舞台道具との兼ね合いも大切。

客席からお師匠さんの指示がとぶ。

地方さんも真剣な眼差しで。

フィナーレ

祇園をどり 11月1日～10日
祇園東

昭和27年（1894）の初演から40回以上を重ねる祇園東の芸妓、舞妓たちの踊りの舞台。藤間流の藤間紋寿郎師匠による演出振り付けで、華やかな舞台が繰り広げられる。フィナーレの祇園東小唄では芸妓、舞妓たちの総踊りとなる。「花の円山　石だゝみ　桜吹雪に　舞衣　姿やさしき　だらりの帯よ　祇園東の　祇園東の　灯がゆれる……」

Gion Odori November 1st - 10th
Gion Higashi
From the first time in 1894, the annual dance performances of the geiko and maiko of Gion Higashi have always been a much anticipated autumn event. The dances are directed and choreographed by the head of the Monjuro Fujima School of dance . The finale, the Gion Higashi Kouta song and dance, is performed together on stage by all the geiko and maiko of the district.

（写真はすべて平成13年第44回公演より）

「猫の恋」

「京みやげ」

「天満宮大萬燈祭」

お茶席

祇園東の舞妓さん
（2002年1月現在）

叶実
Kanomi

雛菊
Hinagiku

叶染
Kanosome

美すず
Misuzu

芸妓、舞妓たちが菊を献花する。

お茶席にて。

かにかくに祭 11月8日
祇園甲部

祇園を愛した歌人吉井勇を偲んで、白川巽橋畔の歌碑に芸妓、舞妓たちが菊の花を献花する。歌碑には吉井勇の「かにかくに 祇園は恋し 寝る時も 枕の下を 水の流るる」という歌が刻まれており、「かにかくに祭」の名はこの歌に由来する。11月8日はこの碑が建立された日で、当日はお茶やおそばの席が設けられ、芸妓、舞妓の接待が行われる。

Kanikakunisai November 8th
Gion Kobu

In memory of the famous poet Yoshii Isamu and his great love of Gion, geiko and maiko offer flowers to him at a stone monument located near the Tatsumi Bridge along the Shirakawa River that runs through the district. The name of the event is taken from one of the lines engraved on the stone, which was erected on November 8th. After the flower offering, geiko and maiko serve tea and soba noodles.

宮川町では歌舞練場の前で行われる。 （宮川町）

「商売繁盛」など書かれた護摩木が勢いよく燃える。（宮川町）

お火焚き祭 11月中旬

宮川町・上七軒・先斗町・祇園東

京都の多くの神社で11月になると社前で火を焚き、神意を慰めるお火焚き祭が行われる。花街でも歌舞練場前や、神社などでお火焚きを行うところがある。お茶屋、芸妓、舞妓など関係者が願いごとを書いた護摩木を焚き、諸願成就を祈る。最後にお供えの蜜柑をくべて焼く。これを食べると風邪を引かないとも、風邪が治るとも言われている。

Ohitakisai Mid November

Miyagawacho, Kamishichiken, Pontocho and Gion Higashi

In November, many Kyoto shrines hold fire-related ritual festivals. Some hanamachi stage a similar ritual in front of the district dance hall or at the key local shrine. As part of ritual, geiko, maiko, and other people of the district write their wishes and hopes for the future on gomagi (wood tablets) and burn them. At the end of the ceremony, Japanese oranges are baked in the fire: eating them is said to protect one from colds and flu in the coming winter months.

芸妓としてのお披露目。芸妓になる時期は屋形（置屋）など関係者が相談して決めるが、舞妓になってから4〜5年目になるのが平均的である。芸妓になる一ヵ月前位からは髪を「先笄」という髪型に結う。舞妓の間は地毛で髪を結っていたが、芸妓はかつらとなる。芸妓になると、舞などの芸はもちろんのこと、場を盛り上げ、お客さんにくつろいでもらえる接客の巧みさなど、舞妓の時より一段と高い要求に応えていかなくてはならない。日々、自らを磨き、芸に打ち込む芸妓の姿は、立ち居振る舞いも更に洗練され観る人を魅了する。

Erikae

The official debut performance of a graduating maiko (in effect, becoming a geiko) is called the erikae. The timing of this important event is decided by a special board, and usually takes place 4 or 5 years after a maiko begins her training. One month before officially becoming a geiko, the maiko begins to wear a sakko-style hair in public (after she becomes a geiko, she begins wearing a wig). Geiko are expected to be more disciplined, have higher performance capabilities, and more sophisticated customer service skills. Her professional "face" and performances attract many people.

衿替え

芸妓姿ですっかりおねえさんらしくなった先斗町の市さよさん。

先斗町では先笄を結う前に色々な髪型に結うことが許されている。市さよさんは「梅もどき」「水車」「粋車」「おしどりの雛」「おさふね」を結った。

おさふね

おしどりの雛

先笄

衿替えの朝、化粧をする。

着付けをしてもらう。

深々とご挨拶。

たくさんの人に祝福されて。

（写真は4点とも先斗町の久加代さん）

祇園東の観亀神社

雪景色の宮川町

雪の上七軒

「まねき」のあがった南座に続々と芸妓、
舞妓が集まってくる。
（祇園甲部）

開演を待つ舞妓たち。

（宮川町）

顔見世総見 12月初旬
祇園甲部・宮川町・上七軒・先斗町・祇園東

11月末、阿国歌舞伎発祥の地、四条大橋近くの南座に「まねき（役者の名を書いた看板）」があがる。毎年12月に26日間にわたって行われる顔見世は東西の人気役者が顔を揃える歌舞伎興行で、京都の師走の風物詩となっている。興行中の5日間、各花街ごとに芸妓、舞妓たちが揃って観劇し、これを顔見世総見という。舞妓のかんざしには小さな「まねき」がついていて、好きな役者にサインをいれてもらう。

Kaomise Soken Early December
Gion Kobu, Miyagawacho, Kamishichiken, Pontocho and Gion Higashi

At the end of November, the famous Minamiza theater hangs out the annual maneki wooden sign boards that announce the names of the performers in that Kaomise performance, in a tradition that dates back more than 300 years. During the event, at the end of the year, known as kaomise ("face showing"), the best actors of the kabuki world come to Kyoto for 26 days of performances. On each of the 5 days at the beginning of the performance period, geiko and maiko of each district make a stunning colorful public appearance at the theater. Each maiko wears a miniature maneki signboard in her hair on which her favorite actor will sign his name with a black ink brush.

（祇園東）

（上七軒）

（先斗町）

（祇園甲部）

井上八千代師宅に続々と芸妓、舞妓たちがご挨拶にくる。八千代師は一人ずつに声をかけながら、舞扇を渡す。 （祇園甲部）

事始め 12月13日
祇園甲部・宮川町・上七軒・先斗町・祇園東

正月の準備（事）を始めるので、事始めという。日頃、お世話になっているお師匠さんや、お茶屋などに裏白、ゆずり葉を敷いた鏡餅をおさめ、今年一年間のお礼と、来年もよろしくお願いしますという挨拶をする。

Kotohajime December 13th
Gion Kobu, Miyagawacho, Kamishichiken, Pontocho and Gion Higashi
Kotohajime literally translated means "things first" (things to do with the Near Year in this instance). As part of the New Year preparations, geiko and maiko show their appreciation for the passing year and convey their best wishes, with specially decorated gifts of kagamimochi (rice cakes), for good relations in the coming year to their teachers and establishments they feel indebted to.

雨の中、次々と挨拶にいく。 （宮川町）

宮川町お茶屋組合長の佐々木さん宅へご挨拶。 （宮川町）

「おめでとうさんどす」元気な声が響く。 （先斗町）

帰省する舞妓が増えた今、なかなか見られなくなった風景。

八坂神社で火縄におけら火を移す。

両手いっぱいの福玉。

おことうさん・おけら火 12月31日

祇園甲部・宮川町

お世話になっているお茶屋に「お事多うさんどす」と年末の挨拶まわりをすることをおことうさんという。お茶屋では挨拶にきた舞妓さんに福玉を渡す。福玉のなかには身の回りの小物などが入っている。夜には八坂神社に詣でて、おけら火をもらう。火縄におけら火を移して帰り、この火で元旦の雑煮をたくと縁起がいいといわれる。おことうさんもおけら詣りも、近年は里帰りする妓が多いため、あまり見られなくなった行事である。

Okotosan, Okerabi December 31st
Gion Kobu and Miyagawacho
On the last day of the year, each maiko visits ochaya with the greeting "Okotousan dosu." Here, she receives a fukudama (ball shaped bag) containing small daily items. Late that night, she walks to Yasaka Shrine to light a straw rope (when lit, it is called an okerabi or "returning fire") with which to light the first fire of the year. Cooking ozoni (rice cakes in a special soup) on the first fire of the year is said to bring good luck. As many maiko return to their hometowns around the country at the end of the year, it is a truly rare occurence to see one at Yasaka Shrine.

芸妓を廃業する際のあいさつを引祝という。これまでお世話になったお茶屋などをまわり、あいさつをする。結婚したり、別の仕事を始めたり…、と理由は様々だが、また新しい世界へ踏み出す門出の日でもある。

Hikiiwai

When a geiko retires, she visits several ochaya to thank the head of the household for the support that she received during her professional life. Reasons for retirement include marriage or the simple desire to leave the disciplined life of the hanamachi to start an entirely new life of her own.

引　祝
ひきいわい

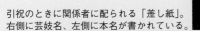

引祝のときに関係者に配られる「差し紙」。
右側に芸妓名、左側に本名が書かれている。

男衆さんとともに廻る（祇園甲部の美年子さん）。

梅雨の雨がしとしととふるなかで（祇園甲部の美年子さん）。

京都五花街伝統芸能特別公演（都の賑い）

6月第三土曜・日曜

　五花街の芸妓、舞妓がそれぞれの花街の流儀で華麗な舞踊を披露する合同公演。平成6年（1994）、平安遷都1200年を祝う催しのひとつとして、五花街が合同で開催した第1回公演に始まり、以来毎年6月の第三土曜、日曜に行われている。第4回からは「都の賑い」と名付けられ、京の年中行事のひとつとして人々に親しまれている。

舞妓の賑い（第1回公演より）／各花街から4人ずつ、総勢20人の舞妓による舞台。毎回フィナーレを飾る華やかな舞台である。

Kyoto Gokagai Traditional Performance (Miyako no Nigiwai)
3rd Saturday and Sunday in June
This yearly event is a graceful joint performance by geiko and maiko from all five hanamachi. The event has been held annually since 1994, when it was held as one of the events for Kyoto's 1200th year anniversary celebration. It is now held every year on the 3rd Saturday and Sunday in June. In 1997, the event was named the Miyako no Nigiwai (loosely translated as the Excitement of the Old Capital). It is a popular and eagerly anticipated event.

出演者全員が舞台に会すエンディング（第1回公演より）。

第1回公演終了後、都ホテルでの記念
パーティに入場する芸妓、舞妓たち。

第1回公演終了後、都ホテルでの記念パーティにて行われた「手打ち」。

祇園甲部

第1回公演「祝獅子」

第2回公演「七福神」

第3回公演「花の段」

第4回公演「螢狩」

第5回公演「さのや」

第6回公演「京の四季」

第7回公演「東山名所」

第8回公演「長刀八島」

第1回公演「都ねずみ」

第2回公演「新曲浦島」

第3回公演「越後獅子」

第4回公演「御萬歳」

第5回公演「廓丹前」

第6回公演「あやめ浴衣」

第7回公演「俄獅子」

第8回公演「船揃」

第1回公演「菖蒲浴衣」

第2回公演「末広狩」

第3回公演「船揃」

第4回公演「雛鶴三番叟」

第5回公演「岸の柳」

第6回公演「岸漣漪常磐松島」

第7回公演「都鳥」

第8回公演「吾妻八景」

第1回公演「平安三番叟」

第2回公演「秋の色種」

第3回公演「常磐の老松」

第4回公演「石橋」

第5回公演「野路の月」

第6回公演「船揃」

第7回公演「三保の松」

第8回公演「石橋　―素囃子―」

第1回公演「花洛詩抄」

第2回公演「花と鐘」

第3回公演「柱立万才」

第4回公演「吉原雀」

第5回公演「双六」

第6回公演「助六」

第7回公演「魂まつり」

第8回公演「梅の春」

舞妓さん Q&A

Q. 舞妓さんになるにはどうしたらいいのですか。
お茶屋や屋形（置屋）に詳しい知人に紹介してもらう、というのが最も一般的。紹介された屋形に保護者とともに面接に行き、説明を聞きます。双方納得の場合は屋形に住み込み、「仕込みさん」として舞妓さんになる修行を始めることとなります。

Q. どうして舞妓さんになろうと思ったのですか。
日本舞踊が好き、着物が好き、歴史の本が好きで、幕末の本などを読んでいるときに芸妓、舞妓にあこがれて、など動機は様々。以前は大半が京都出身の人でしたが、今では日本全国から舞妓志望の人が集まってきます。ただしあこがれだけでは続かない厳しい世界であることも事実で、特に舞妓として店出しするまでの「仕込み」「見習い」の期間は舞、行儀作法、京言葉の修得……と厳しい修行の毎日です。

Q. 舞妓さんの着物について教えてください。
まず特徴的なのはだらりの帯。帯のいちばん下の部分には置屋の紋が入ります。これは今と違い、昔、本当に幼い舞妓がいたときに、迷子になってもどこの置屋の舞妓か分かり、ちゃんと置屋に帰られるように、との配慮でいれられたとか。
着物は肩あげしたものを着ますが、これも本来子供の着物に見られるものです。「お引きずり」と呼ばれる名のとおり、裾の長い着物で、外を歩くときには引きずらないように褄を取り、ホテルの宴会場などのお仕事で褄を取れない場合は紐で縛ります。着物を選ぶのは屋形（置屋）のおかあさん。季節に応じた着物を用意してくれます。通常は夕方に着付けをしてもらい、お座敷へと向かいます。髪を結っていますので、普段でも基本的に着物の生活です。特に舞妓になりたての頃はオフの日に髪をほどいて洋服を着るのが楽しみ、という人も

舞妓さん Q & A

少なくありません。「お引きずり」でない普通の着物を「からげ」と呼びます。

Q. 髪を結ったまま寝ると聞きましたが……。
舞妓の髪型は地毛で結います。5〜7日に一度、髪結いさんに行き、結い直してもらいます。ですからもちろん寝るときも結ったままで「おまく」と呼ばれる箱枕を首にあてて寝るのです。高さが15cm位あり、この枕に慣れるのはなかなか大変で、舞妓になる前に週刊誌を丸めて寝る練習をしたとか、枕のまわりに粉をひいて寝て、寝ている間に枕から落ちたかどうか分かるようにして練習をしたとか、様々なエピソードがあります。

Q. 舞妓さんの一日を教えてください。
朝は9時から10時位に起きます。ただし髪を結う日であれば朝5時起き、なんてこともあります。それからお稽古のある日はお稽古に行きます。踊り、鳴り物（太鼓など）、三味線、笛や茶道、華道など、必須のものから希望して習うものまでその種類は様々です。お稽古のあと、夕方お化粧をするまでは自由時間で、お買い物にいったりして過ごします。花街によっては一年目の舞妓さんは営業活動としてお茶屋さんを「おたのもうします」と廻るところもあります。お化粧は自分でしますから、慣れない内はずいぶんと時間がかかります。慣れてきたら20分位でできるようになります。その後着付けをしてもらい、夕食をとり、6時前位からお座敷へと向かいます。お座敷を何軒かまわり、屋形（置屋）に帰ってくるのは夜中の12時位。就寝は2時位になります。

島原

島原は日本最古の公許の「廓」で、天正17年（1589）に豊臣秀吉が許可したことにはじまる。当時は二条柳馬場のあたりに設けられていたが、その後、室町六条をへて、寛永18年（1641）、現在の地に移転した。「島原」の名はその移転の混乱の様子がまるで「島原の乱」のようだと例えられことに由来するともいわれる。江戸中期には島原俳壇が形成されるなど文化サロンとしても大いに栄え、吉野太夫、夕霧太夫などの名妓も多く輩出した。現在では、置屋と揚屋（お茶屋に相当する）を兼ねる輪違屋が残り、花扇太夫、司太夫、春日太夫、花琴太夫の4人の太夫がいる（2002年4月現在）。また揚屋であった角屋は国の重要文化財に指定され、「角屋もてなしの文化美術館」として公開されている。

輪違屋のお座敷にて「かしの式」をする司太夫。

Shimabara

Shimabara is the oldest entertainment district in Japan. It opened in 1589 under the control of Toyotomi Hideyoshi's government. The area was originally located around Nijo Yanaginobanba. Later, the district was moved to Muromachi Rokujo, and, finally in 1641, it was moved to its present location. It is believed that the origin of the name, Shimabara, came from the Shimabara War because the several relocations were like the confusion of war. In the mid Edo period, Shimabara flourished as a cultural salon centered around the Shimabara Haidan haiku poetry group. Famous group members include Yoshino Dayu and Yugiri Dayu. Today, the Wachigaiya, which is both an okiya and an ageya (same as an ochaya), remains. The Sumiya, a registered Important Cultural Property and a former ageya, is presently run as a museum.

輪違屋のお座敷にて。

置屋から揚屋に向かう華やかな太夫道中の再現。

祇園甲部

紋章について

嘉永4年（1851）、遊所御免の御沙汰があったおりの、組内八ヶ町の頭文字を円形につなぎ、その中に祇の字を白抜きにした紋章にはじまる。その後変遷を重ね、明治になって甲部・乙部に分かれた時、団子つなぎの中の白抜きの祇から現在の「甲」に変わり現在に至っている。

歴史

このあたりは八坂神社（古くは祇園感神院といった）の門前町であったが、応仁の乱で一度焼け野原となってしまった。江戸時代に入ってから、八坂神社や清水寺への参詣客を相手とする「茶屋」が徐々にできはじめ、そこで働く「茶汲み女」「茶点て女」が次第に芸能を身につけ、それぞれお茶屋、芸妓へと発展した。寛文5年（1665）には幕府による茶屋営業の正式認可を受け（寛文10年とする説もある）、「祇園新地外六町」と呼ばれた。続いて白川沿いの新橋あたりへと町がひろがり、「祇園新地内六町」と呼ばれたこの地域にも、享保17年（1732）に茶屋株が公許される。文政年間（1818〜1829）の文献『鴨東佳話』（鴎雨山人著）には当時の祇園町の記述が見え、お茶屋の数が700軒、芸妓、舞妓の数は3000名を超えると記されている。明治14年（1881）に祇園甲部、祇園乙部（現在の祇園東）に分かれ、今日に至る。なお、祇園新橋界隈は伝統的建造物群保存地区に、祇園町南側地区は歴史的景観保全修景地区に指定されている。

お茶屋

浅愛	075-531-0547	元吉町
安藤	075-561-0819	清本町
(株)一力亭	075-561-0228	祇園町南側
	075-561-0229	
	075-561-0230	
いの上	075-561-1006	花町
泉政	075-561-2866	八坂町
池田家	075-561-0221	有楽町
(有)井政	075-561-1220	八坂町
井栄	075-561-2725	元吉町
いまむら	075-531-0600	有楽町
梅の家	075-561-0272	橋本町
(有)近江作	075-561-0462	有楽町
岡愛	075-561-1727	元吉町
大仲	075-561-3105	八坂町
小田本	075-561-0051	八坂町
大月	075-561-2186	花町
おかね	075-561-3165	八坂町
岡きみ	075-561-2303	八坂町
(株)加藤	075-561-1542	橋本町
	075-561-4506	
可奈家	075-561-1666	花町
川瀬	075-561-1393	八坂町
貝田	075-561-1910	花見町
木村絹	075-561-2894	八坂町
木村咲	075-561-2735	清本町
桔梗家	075-561-1929	富永町
京屋	075-561-1852	有楽町
	075-561-3095	
きねや	075-561-2765	有楽町
玖見	075-525-2141	八坂町
	075-561-6705	
こじま屋	075-525-2810	有楽町
(有)小石	075-561-1667	八坂町
新近江	075-561-0510	富永町
	075-531-5027	
(有)大恒	075-561-2658	有楽町
大ぬい	075-561-1398	八坂町
立花	075-561-2347	祇園町北側
あけ田	075-561-0745	花町
(有)多麻	075-561-7069	八坂町
辻菊	075-561-0628	八坂町
(有)辻糸	075-561-2142	花町
	075-561-8155	
つね家	075-561-0237	花見町
(株)つる居	075-561-2292	八坂町
(株)富美代	075-561-0235	末吉町
	075-561-1850	
冨田屋	075-561-3197	花町
登喜家	075-561-1367	有楽町
徳増	075-561-3609	花町
中支志	075-541-0916	富永町
(有)西村家	075-561-1051	八坂町
イ (にんべん)	075-561-0164	元吉町
花み津	075-561-2049	元吉町
(株)広島家	075-561-0886	花見町
	075-561-4660	
比路松	075-561-0370	八坂町
備前屋	075-561-0057	富永町
(株)房の家	075-561-0502	元吉町
	075-561-0503	
	075-561-5016	
福島	075-561-1709	八坂町
	075-561-1748	
藤本	075-561-2083	花見町
万イト	075-561-2380	花見町
万種	075-561-0723	有楽町
万広	075-561-1847	常盤町
万喜久	075-561-2066	花見町
(株)松八重	075-561-1438	八坂町
	075-561-2534	
(株)松葉元	075-561-0061	花見町
	075-561-0062	
丸八	075-561-1417	末吉町
政の屋	075-561-2977	元吉町
(株)桝梅	075-561-1732	八坂町
	075-561-1212	
松田	075-561-4013	祇園町北側
みの竹	075-561-2521	富永町
(有)美の八重	075-541-1360	末吉町
	075-541-2410	
(有)みの家	075-561-1994	末吉町
	075-561-2213	
三上	075-561-1552	八坂町
美乃文	075-561-4709	花町
むら上	075-561-2103	花見町
もりゐ	075-561-0217	有楽町
やまふく	075-561-1592	花見町
(有)山加代	075-561-1345	八坂町
山本	075-561-1965	花見町
	075-561-2157	
(有)やなぎ	075-561-2201	有楽町
	075-561-2588	
弥す田	075-561-1665	花見町
吉乃屋	075-561-0388	八坂町
よしまさ	075-561-7271	八坂町
吉うた	075-561-0316	花見町
吉つや	075-561-1963	富永町
芳きし	075-561-0360	花見町
	075-561-3107	

(50音順　平成14年4月現在)

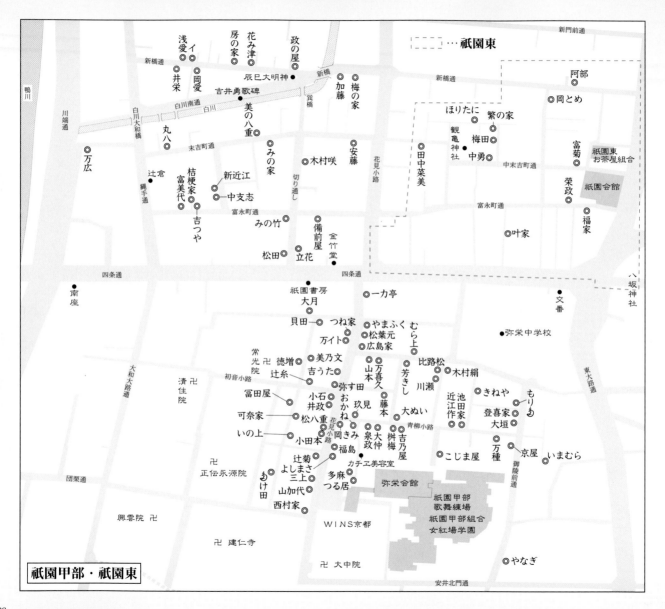

祇園甲部・祇園東

祇園東

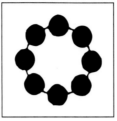

紋章について

茶店時代の由緒から、団子を八つならべた草案は、祇園甲部と同じ。明治14年（1881）の分離の際、乙部の「乙」の字がつなぎ団子の中に入っていたが、昭和30年（1955）頃、祇園東お茶屋組合となり、今日ではつなぎ団子だけとなっている。

歴史

八坂神社門前の茶屋町としてはじまった祇園町は、明治14年（1881）、第三代京都府知事北垣国道によって、甲部と乙部に分けられた。昭和24年（1949）に東新地と改称され、昭和30年（1955）頃から祇園東と呼ばれるようになった。範囲としては東山区四条通りの北側で、花見小路通りから東大路通りまでである。昔、この辺りには、江州膳所藩主本多主膳正六万石の京屋敷があった。明治3年（1870）にその屋敷が取り払われると多くの茶屋が軒をならべ、華やかな花街を形成した。

祇園東お茶屋組合事務所　075-561-0224　　祇園東歌舞会　075-561-0224

お茶屋

阿部	075-561-3973	林下町	榮政	075-561-1939	元町	中勇	075-561-1223	中末吉町
梅田	075-561-0817	中末吉町	繁の家	075-561-0314	中末吉町	福家	075-561-4752	元町
岡とめ	075-561-1584	林下町	田中菜美	075-561-3417	中末吉町	ほりたに	075-531-2538	中末吉町
叶家	075-561-0525	東富永町	富菊	075-561-0069	元町			

（50音順　平成14年1月現在）

宮川町

紋章について

明治中期から使用されている。三つの輪は芸妓育成機関の女紅場が府立となった折、寺社、町家、花街の三者が合流して学校施設とした記念とされている。また一説には宮川で神輿を洗ったという故事から三体の神輿を象徴したとも、宮川の「みや」を語呂の合う三輪として考案されたともいわれている。

歴史

「宮川」の名は、鴨川の四条通りより南側を「宮川」と呼んだことによるなど、その由来には諸説ある。寛文6年（1666）には宮川町通りが開通し、寛文10年（1670）に鴨川護岸の石積みが完成すると急速に町並みが整った。お茶屋の許可が宮川町全体に下りたのは宝暦元年（1751）である。

芸能の盛んであった四条河原という地域の特色から歌舞伎との関わりが深く、歌舞伎俳優の屋号の中には宮川町の宿屋の屋号に由来するものもある。なお現在、宮川町三丁目から六丁目の市街地は歴史的景観保全修景地区に指定されている。

宮川町お茶屋組合事務所 075-561-1151　宮川町歌舞会 075-561-1154

お茶屋 ─────

いし初	075-561-0607	四丁目
梅喜	075-561-0044	六丁目
花傳	075-531-3480	六丁目
河なみ	075-541-0111	五丁目
	075-541-9789	
川久	075-561-3352	西御門町
河よ志	075-561-2871	四丁目
	075-541-2053	
貴久政	075-561-3707	五丁目
きぬ家	075-561-3868	西御門町
喜美家	075-561-0568	四丁目
駒屋	075-561-1175	四丁目
	075-561-1176	
	075-531-0606	
桜屋	075-561-3473	四丁目
新かね	075-561-2304	四丁目
寿賀富	075-561-1259	四丁目
杉きみ	075-561-2600	五丁目
大梅	075-541-1605	五丁目
	075-551-0645	
大里	075-561-3367	六丁目
大玉	075-561-3766	五丁目
高よし	075-561-3348	西御門町
たけもと	075-531-4167	五丁目
	075-531-4168	
たまや	075-561-2849	四丁目
利きみ	075-561-5892	西御門町
花ふさ	075-561-7316	三丁目
春田	075-525-2508	西御門町
春富	075-541-9381	西御門町
はまぐち	075-525-3730	西御門町
福本	075-561-4530	西御門町
藤島	075-561-4435	四丁目
ふじ原	075-561-6005	四丁目

堀八重	075-561-1642	四丁目
	075-531-6319	
本城	075-531-6333	西御門町
	075-525-1567	
桝家	075-561-2868	四丁目
	075-561-9458	
三木家	075-561-3471	四丁目
美津家	075-561-4268	五丁目
	075-531-4962	
湊家	075-561-2269	四丁目
美富久	075-561-0592	三丁目
みやき	075-561-2822	四丁目
雪の家	075-561-4618	五丁目
	075-531-2781	
よし冨美	075-525-1383	四丁目
好みき	075-561-0375	四丁目

(50音順　平成14年4月現在)

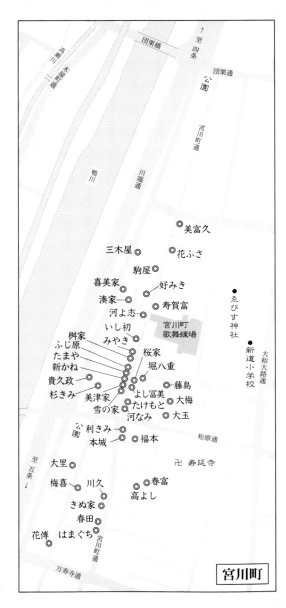

宮川町

上七軒

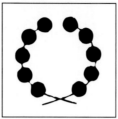

紋章について

太閤秀吉が北野大茶会を催したおり、名物の御手洗団子を献上したところ、太閤はいたく誉められ、御手洗団子を商う特権と法会茶屋株を賜った。この五つ団子の紋章はこの御手洗団子に由来している。

歴史

15世紀中頃、北野社（現在の北野天満宮）の一部が焼失し、その修造の際に残った用材を払い下げてもらい、七軒のお茶屋を建て、七軒茶屋と称したことにはじまる。天正15年（1587）、太閤秀吉が北野大茶会を催した折、この七軒茶屋は太閤の休憩所となった。そこで御手洗団子の供応を受けた太閤はとても喜んで、茶屋株の特許を七軒茶屋に与えた。一方北野天満宮には古くから巫女（神子）がいた。巫女は少女に限られたため、成熟した女性となると茶立て女などになったのが、上七軒の芸妓の起源といわれている。時代が下り、寛永年間（1624〜44）には公許がおりた。以来北野天満宮門前の花街として、また西陣に近いため、織り屋の旦那衆の奥座敷として発展し、今日に至る。なお、この界隈は重要景観整備地域に指定されている。

上七軒お茶屋組合事務所
075-461-0148

上七軒歌舞会
075-461-0148

お茶屋

市	075-463-7888	真盛町
梅乃	075-462-2818	真盛町
大市	075-461-3704	真盛町
大たか	075-461-2944	社家長屋町
大まさ	075-461-7083	真盛町
大みの	075-461-2997	真盛町
大文字	075-461-1356	真盛町
(有)中里	075-462-1070	真盛町
長谷川	075-461-7043	真盛町
藤幾	075-461-5870	真盛町

(50音順　平成14年4月現在)

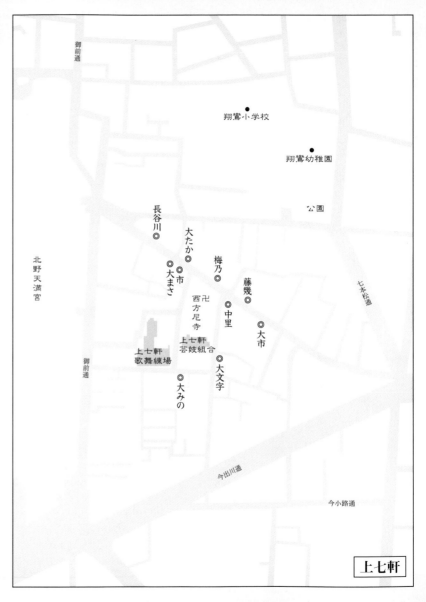

上七軒

103

先斗町

紋章について

明治5年（1872）、鴨川をどりが初めて開催された際、創案された。モチーフの千鳥は、鴨川の冬に情緒を添える名物のひとつ。

歴史

寛文10年（1670）に鴨川大普請によって、三条通りと四条通りの間、鴨川と高瀬川の間に造成された新河原町通りと呼ばれた新地に始まる。高瀬川を往来する船頭や旅客を相手にした茶屋や旅籠から発展していった。正徳2年（1712）に茶屋、旅籠茶屋が認可され花街としての先斗町がはじまった。「ぽんと町」という名前の由来は諸説あり、川（皮）と川（皮）の間にありちょうど鼓のようなものなので、その音色から「ポンと丁」、ポルトガル語の「ポント」（先、場所などの意）「ポントス」（橋の意）がなまったもの……など様々である。

先斗町お茶屋営業組合事務所　075-221-2025

先斗町歌舞会　075-221-2025

お茶屋

安達	075-221-3857	材木町	西里	075-221-2724	梅ノ木町
井里	075-221-4580	鍋屋町	初乃屋	075-221-5011	若松町
いじち	075-221-0904	若松町		075-221-5239	
石房	075-221-4725	若松町	福本	075-221-2901	鍋屋町
	075-223-1423			075-221-5441	
井雪	075-221-2279	鍋屋町	冨士君	075-221-2692	下樵木町
	075-221-3647		舛之矢	075-221-2883	梅ノ木町
上田梅	075-221-2035	松本町	松本	075-221-3621	若松町
栄亭	075-221-3803	鍋屋町	三芳	075-221-1964	鍋屋町
	075-221-6474		みつわ	075-221-3897	松本町
栄藤	075-221-1453	下樵木町		075-221-6508	
籠本	075-221-1643	下樵木町	村政	075-221-1355	若松町
㐂文	075-212-1098	材木町	もみ葉	075-222-1888	鍋屋町
楠	075-221-1833	梅ノ木町		075-252-0805	
楠本	075-221-2360	鍋屋町	やすい	075-221-5782	若松町
	075-252-0033			075-211-0708	
小林	075-221-4509	若松町	八幡屋	075-221-1846	松本町
さゝき	075-221-5869	松本町	吉田	075-221-4806	材木町
	075-211-7533			075-255-4151	
松竹	075-221-2354	鍋屋町	吉富久	075-221-3048	若松町
	075-221-3558			075-211-7655	
大市	075-221-1938	若松町			
	075-211-7045			(50音順　平成14年1月現在)	
田川	075-221-6364	下樵木町			
丹鶴	075-221-2027	松本町			
	075-211-4017				
丹政	075-221-0497	鍋屋町			
丹美賀	075-221-4525	下樵木町			
丹米	075-221-4234	松本町			
	075-241-3701				
千栄の家	075-221-3787	柏屋町			
富也	075-221-4932	下樵木町			

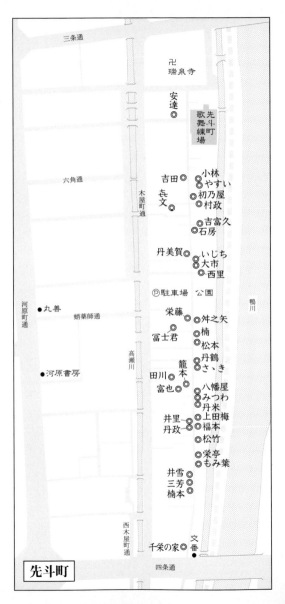

先斗町

京都の五花街に伝わる舞踊を中心にした伝統芸能は、春秋に開催される「をどり」で、京都をはじめ、内外の多くのお客さまを魅了しています。また舞妓に象徴される花街は国際文化観光都市京都のイメージを形成するうえにおいても貴重な存在となっています。

京都伝統伎芸振興財団は平成8年（1996）に社団法人京都市観光協会と京都花街組合連合会により設立され、京都府、京都市、京都商工会議所、観光業界の支援のもと、五花街の保存と伝統芸能の継承に尽力しています。花街の伝統芸能を継承すべき後継者の減少傾向が顕著となっている現状を受け、後継者の育成、伎芸の向上に対する助成などを行ない、花街に伝わる伝統芸能の保存継承をはかり、観光と地域経済の振興に寄与することを目的としています。

■財団の主な事業

1 五花街合同公演を6月に開催し、伝統伎芸を広く紹介し、愛好者の増加に努める。
2 年中行事や観光行事の参加に対する助成を行ない伝統的な舞踊や衣装風俗を紹介する。
3 後継者の育成と技能保持者の人材確保のため研修助成を行ない、伝統芸能の保存継承を図る。
4 伝統伎芸の継承者に対して、楽器の補修経費など助成を行ない、伝統芸能の保存継承を図る。
5 全国規模の公演や各歌舞会の舞台発表会の開催を助成することによって、伝統伎芸の向上を図る。
6 長年にわたる修養によって、伝統伎芸の維持発展に功績のあった者を伝統伎芸保持者として認定し、伎芸の振興を奨励する。
7 伝統伎芸後継者の育成と高齢化対策として、伎芸の研鑽に取り組むことができる教育制度や社会保障制度の整備について調査研究する。
8 舞妓募集並びに育成を図る。

■京都伝統伎芸振興財団友の会入会のご案内

伝統芸能の愛好者の裾野を拡大すること、花街の芸能に親しむ機会の増大を図ることを目的として友の会が設立されています。

会員特典

A 招待・優待コース
1 五花街主催の公演に招待
都をどり、京おどり、北野をどり、鴨川をどり、祇園をどりにご招待します。
2 五花街合同公演「都の賑い」優待（6月公演分）
3 時代祭観覧席招待

B お茶屋遊びコース
お茶屋遊びの費用の一部（20,000円）を負担します。

> 上記A、Bのいずれかを選択してください。

C 共通特典
1 ギオンコーナー（古典芸能鑑賞施設）招待
友の会会員証提示で入場できます。
2 お茶屋の紹介
3 情報提供・その他
友の会会報や主催事業のパンフレットなど情報を提供します。
主催事業の優先予約などの特典もあります。

会員募集要項

・年会費は30,000円です。
・入会申込書は郵送いたしますので下記までお問い合わせください。
・入会申込書に上記特典のA・Bいずれかのコースを選択、ご記入の上、会費30,000円を添えて現金書留、もしくは銀行振込でお申し込みください。
・お申し込みいただいた方に会員証をお送りします。

〒605-0074　京都市東山区祇園町南側570-2　弥栄会館内
財団法人京都伝統伎芸振興財団
電話075-561-3860　FAX075-525-3105

SUIKO BOOKS 京都

庭—京都の名園	山本建三　1,050円
京都 茶の庭	水野克比古　1,050円
京都 禅の庭	水野克比古　1,050円
京都 花の庭	水野克比古　1,050円
京の坪庭	水野克比古　1,050円
京都阿弥陀の寺と庭	横山健蔵　1,050円
京都の魅力（全5巻）	
①洛西②洛東③洛中④洛北⑤洛南	橋本健次　各1,050円
京都水景色	橋本健次・川端洋之　1,050円
京の季語（全5巻）	
①春②夏③秋④冬⑤新年	坪内稔典・橋本健次　各1,050円
京の色	橋本健次・高木美智子　1,050円
京の花（全3巻）	
春/夏/秋冬	水野克比古　各1,050円
京の椿	水野克比古　1,020円
京の梅	山本建三　1,020円
京の桜	山本建三　1,050円
京の新緑	山本建三　1,050円
京の紅葉	山本建三　1,020円
京の雪	山本建三　1,020円
京の竹	山本建三　1,050円
北山杉	山本建三　1,050円
京都雨景	水野克比古　1,050円
京都桜物語	中田昭　1,050円
京都夏物語	中田昭　1,050円
京都紅葉物語	中田昭　1,050円
京都冬物語	中田昭　1,050円
京町家	神崎順一・新谷昭夫　1,050円
京暖簾	高井潔　1,260円
京さくら	橋本健次　1,050円
京もみじ	橋本健次　1,050円
京都・桜—カメラを持って京都へ行こう	
	橋本健次　1,680円
京都・紅葉—カメラを持って京都へ行こう	
	橋本健次　1,680円
香千載—香が語る日本文化史	
	監修 畑正高　1,470円
京懐石 近又	
	水野克比古・鵜飼治二　1,470円
京の夜景色	水野克比古　1,020円
京都 祇園	溝縁ひろし　1,020円
京都 先斗町	溝縁ひろし　1,050円
京の料理（一）（二）	
	二村春臣・田中保子　各1,050円
京菓子歳時記	宮野正喜・石橋郁子　1,470円
京	山本建三　1,020円
都	山本建三　1,020円
嵯峨野	山本建三　1,020円
京都歌景色	
	田中保子・横山健蔵　1,050円
京を織る	橋本健次・川端洋之　1,260円
京都 鴨川	横山健蔵　1,050円
京・美山周辺の四季	
	水中聡一郎　1,260円
京・大原の四季	土村清治　1,260円
京都・嵯峨野—カメラを持って京都へ行こう	
	山本建三　1,680円
京都御所・仙洞御所	
	庄司成男（'02 4月刊）　1,260円
INVITATION TO KYOTO GARDENS	
	山本建三　1,575円
INVITATION TO TEA GARDENS	
	水野克比古　1,529円
ZEN GARDENS	水野克比古　1,325円
The Courtyard Gardens of Kyoto	
	水野克比古　1,575円
京の息づかい	
	絵—島崎博 文—千田稔　1,050円

京都御所
・
仙洞御所
'02 4月
発刊予定

〈英文版〉

〈スケッチ〉

あ と が き

　祇園町で偶然見かけた舞妓さんにひかれ、写真を撮り始めたのがつい昨日のことのように思われます。それから、次第に他の花街も撮影するようになり、三十年が過ぎました。

　その頃、お茶屋さんのおかあさんたちは、舞妓さんが減っていくことをしきりに嘆いていました。けれども今、長引く不況などにもかかわらず、どの花街の通りにも舞妓さんが行きかっています。彼女たちのなによりの特徴は、舞妓という仕事が好きという自負に輝いていることといえるでしょう。

　五つの花街には、それぞれ独得の空気があります。日々精進する舞や芸が、違った流派にささえられているからかも知れません。ですが、伝えられていた行事・習慣を生活の中で生かし、花街文化として受け継いでいるということに変わりはありません。

　この花街がたがいに協力し、平成6年（1994）より「五花街伝統芸能特別公演」が毎年開催されています。嗜好をこらした舞台作りに、各花街のいきごみが感じられます。中でもフィナーレの舞妓20名で踊るステージは、振りの違いがわかり、この会ならではのおもしろさが味わえるのではないでしょうか。

　このたびの企画では、各花街すべての現舞妓さんの顔写真を載せました。そこで青春を生きる舞妓さんの「今」を記憶にとどめるために。

　これからもカメラを通して花街を記録していきたいと思っています。

　本書出版にあたり、各花街の歌舞会およびお師匠さん方、お茶屋組合、京都市観光協会、おおきに財団などに多大なご協力をいただきました。また、お忙しい中、芸妓、舞妓さんたちは快く撮影に応じてくださいました。紙面を借りまして、みなさまに心より御礼申し上げます。そして編集ならびに出版をしてくださった光村推古書院の皆様、本当にありがとうございました。

溝縁ひろし

■協力

祇園甲部組合
祇園甲部歌舞会
宮川町お茶屋組合
宮川町歌舞会
上七軒お茶屋組合
上七軒歌舞会
先斗町お茶屋営業組合
先斗町歌舞会
祇園東お茶屋組合
祇園東歌舞会
輪違屋
財団法人京都伝統伎芸振興財団（おおきに財団）
社団法人京都市観光協会
株式会社実業広告社
株式会社青龍社
幾岡屋
カチヱ美容室
金竹堂
辻倉
南座

■ 参考文献

『京都歳時記』宗政五十緒、森谷尅久 淡交社
『京・祇園』小原源一郎、板倉有士郎 日本地域社会研究所
『京舞妓歳時記』溝縁ひろし 東方出版
『祇園～粋な遊びの世界』溝縁ひろし写真 淡交社
『〈聞き書き〉祇園に生きて』三宅小まめ、森田繁子 同朋舎
『お茶屋遊びを知っといやすか』山本雅子 廣済堂出版
『京都 舞妓と芸妓の奥座敷』相原恭子 文藝春秋

都をどり、鴨川をどり、北野をどり、京おどり、祇園をどり、
温習会、寿会、水明会、京都五花街合同伝統芸能特別公演の
パンフレット

「ぎをん」誌 祇園甲部組合
「祇園おこしやす」誌 祇園商店街振興組合

溝縁ひろし（みぞぶち　ひろし）

1949年、香川県に生まれる。1971年、千葉工業大学卒業後、株式会社ユニチカUGに入社。1975年、同社を退社し、スタジオ勤務を経てフリー・カメラマンになる。1980年、写真事務所「PHOTO-HOUSEぶち」設立。1994年には'94JPS関西展運営委員長をつとめる。現在、京都の花街を中心に撮影を続けており、京都の四季、祭り、子供たちの姿から四国八十八ヵ所、また海外取材も含めて様々なテーマに精力的に取り組んでいる。

日本写真家協会会員
NHK京都文化センター写真講師

ホームページ　http://www5.ocn.ne.jp/~buchi/

個展

1979年 「祇園舞妓抄」東京ペンタックスギャラリー
1984年 「古都の四季」京都書院ホール
1990年 「四国霊場 花・巡礼」富士フォトサロン（大阪）
1991年 「四国霊場 花・巡礼」高松美術館市民ギャラリー
1995年 「KYOTO・ぎをん・舞妓」富士フォトサロン（東京）
1999年 「霊場写歩」富士フォトサロン（大阪）
2000年 「京逍遥」キルギス国立美術館
2000年 「祇をん・市寿々」京セラ・コンタックスサロン銀座
2001年 「稚児・禿物語」ぎゃらりぃ西利
2001年 「四国八十八ヵ所物語」京阪ギャラリー（守口市）
2002年 「『写真日記』を楽しむ」ぎゃらりぃ西利
　　　　　　　　　　　　　　　　　　　　　　他多数

出版

1978年 『祇園舞妓抄』吉村書房
1985年 『祇園―今に生きる伝統美』日本交通公社
1987年 『写真日記』自費出版
1992年 『花へんろ』保育社
1995年 『京舞妓歳時記』東方出版
1996年 『京都・祇園』光村推古書院
1997年 『京都・先斗町』光村推古書院
1997年 『四国八十八ヵ所・花遍路』新潮社
2000年 『祇をん・市寿々』小学館
2001年 『四国八十八ヵ所物語』東方出版
　　　　　　　　　　　　　　　　　　　　　　他多数

京都　花街

祇園甲部
宮川町
上七軒
先斗町
祇園東

2002年7月21日初版一刷発行

著者
溝縁ひろし

発行者
長澤浩三

発行所
光村推古書院株式会社
〒603-8115
京都市北区北山通堀川東入
PHONE 075（493）8244
FAX 075（493）6011
http://www.mitsumura-suiko.co.jp

印刷
日本写真印刷株式会社